Ballerina

D1530110

D'après le film d'animation « *Ballerina* »
Produit par Laurent Zeitoun, Yann Zenou, Nicolas Duval Adassovsky
Réalisé par Eric Summer et Eric Warin
Scénario de Carol Noble, Laurent Zeitoun et Eric Summer
Créations graphiques d'Eric Warin

Félicie et Victor vivent à l'orphelinat
de Quimper et sont des amis inséparables. Mais tous deux
cherchent à s'échapper. Félicie rêve de devenir ballerine à l'Opéra de Paris,
comme sur la belle carte postale que lui a montrée Victor.

— Avoir un grand rêve, c'est normal, lui dit la Mère Supérieure.

Mais fais bien entrer dans ta tête qu'aucun rêve ne devient réalité !

Pourtant, quand elle regarde la danseuse de sa précieuse boîte à musique virevolter, Félicie continue d'y croire. Trouvée dans son berceau, cette boîte est le seul souvenir de sa famille. Elle en est sûre, bientôt, ce sera à son tour de monter sur scène !

3

Un jour enfin, Félicie et Victor échappent à la vigilance du gardien de l'orphelinat et s'enfuient à Paris !

Les pas de Félicie la mènent vite devant le majestueux bâtiment de l'Opéra de Paris. Elle y pénètre discrètement et se glisse en coulisses.
Le souffle coupé, elle assiste alors à un merveilleux
spectacle : Rosita Mauri, la grande étoile de l'Opéra,
danse sur la musique du *Lac des Cygnes* !

Félicie fait ensuite la connaissance de Camille, une jeune fille
de son âge qui se vante d'attendre une lettre d'admission à l'Opéra. Ravie,
la petite Bretonne lui annonce qu'elle espère, elle aussi, devenir ballerine.

— Mais tu rêves, ma pauvre fille. Je suis une étoile. Toi, tu ne brilleras jamais, lui rétorque Camille avant de jeter sa boîte à musique par la fenêtre.

Félicie décide alors de prendre
la place de Camille à l'Opéra. Le jour
de son premier cours, elle découvre que son groupe
va auditionner pour le rôle de Clara dans *Casse-Noisette*.
La meilleure danseuse partagera l'affiche avec Rosita Mauri !

— Chaque jour, dès demain,
l'une d'entre vous sera éliminée, explique Louis Mérante,
le maître de ballet.
Hélas, Félicie semble être la moins préparée de toutes…

Malgré tout, Félicie s'accroche à son rêve. Chaque jour, après ses cours à l'Opéra, elle améliore sa technique en suivant les conseils d'Odette, une ancienne danseuse qui l'a prise en amitié.
— Tes orteils doivent être aussi souples que le bambou et aussi durs que la pierre, lui conseille cette dernière.

Félicie travaille dur et bientôt,
elle fait de considérables progrès.
Constatant son implication, Mérante décide de lui laisser
une chance lors des auditions…

Malheureusement, alors qu'elle s'apprête à auditionner, Félicie tombe nez à nez avec la vraie Camille ! La voilà démasquée ! Mérante et le directeur de l'Opéra lui adressent un regard impitoyable.

— Je m'appelle Félicie Lebraz, avoue la petite danseuse. Je viens d'un orphelinat de Bretagne. Je ne voulais pas blesser Camille, je voulais juste entrer à l'Opéra… Vraiment, je suis désolée !

Félicie est contrainte de monter dans une calèche.
En route pour l'orphelinat, impuissante, elle regarde son rêve s'éloigner,
au son du trot des chevaux.

De retour à Quimper, loin de son ami Victor,

Félicie accomplit ses tâches sans âme, tel un robot.

Cela inquiète le gardien :

— Elle n'a plus le goût de rien !

Une nuit, Félicie fait un rêve dans lequel une jeune femme danse avec un bébé au son de sa boîte à musique. Félicie se réveille en sursaut. Cette danseuse, c'est sa maman ! La petite Bretonne comprend que la danse fait partie de sa vie depuis qu'elle est née. Motivée, elle enfile ses chaussons et enchaîne les pointes.

Le gardien est heureux de la voir reprendre goût à la vie. Alors qu'elle tente de s'échapper une nouvelle fois, il décide de l'aider et de la conduire à l'Opéra de Paris en mobylette !

Félicie pénètre dans la grande salle de l'Opéra pendant les répétitions de Camille et Rosita Mauri. La représentation de *Casse-Noisette* doit se tenir le soir même. Pourtant, Camille n'est pas au point.

— Stop… Vous êtes plus froide qu'un glaçon… Je ne vois pas l'once d'une émotion ! s'énerve Mérante avant de s'éloigner.

Soudain, Camille s'aperçoit de la présence de Félicie et lui lance :

— Je vais te montrer ce que c'est qu'une vraie danseuse !

Une compétition de danse commence alors dans les couloirs de l'Opéra. Sous le regard ébahi de Mérante, Camille et Félicie enchaînent les mouvements avec grâce et élégance.

— Impressionnant, Mesdemoiselles, les félicite le maître de ballet. Mais permettez-moi de vous poser une petite question… Pourquoi dansez-vous ?

Camille hésite mais Félicie est sûre de sa réponse :

— La danse était là, avec ma mère, quand j'étais bébé. Elle m'aide à vivre et à être moi-même.

Camille ne danse que parce que sa mère l'y oblige.
Touchée par la réponse de Félicie, elle lui cède sa place.
Quelques heures plus tard, en coulisses, Victor félicite son amie :
— Tu as gagné le pari ! Tu as fini par réaliser ton rêve !

Puis, la ballerine rejoint Rosita Mauri.

Au moment où le rideau s'ouvre,
une salve d'applaudissements accueille les deux danseuses.
Félicie et Rosita s'élancent dans un mouvement spectaculaire.
Ce soir-là, sous les regards émus d'Odette, Mérante et Victor,
une nouvelle étoile de la danse naît...

⤙⤚• Fin •⤙⤚